总 策 划　许 琳
总 监 制　夏建辉　戚德祥
监　　制　张 健　张彤辉　顾 蕾　刘根芹

编　　著　刘富华　王 巍　周 芳　李冬梅
修订主编　张 健
修订副主编　王亚莉
修订成员　徐 雁　秦 静　王墨妍

中文编辑　秦 静
英语编辑　侯晓娟
英语审订　余心乐

孔子学院总部/国家汉办
Confucius Institute Headquarters(Hanban)

"十二五"国家重点出版物出版规划项目

CHINESE
PARADISE
汉语乐园
英语版

编　　著：刘富华　王　巍　周　芳　李冬梅
修订主编：张　健

第2版 2ND EDITION

课本 1
Textbook

北京语言大学出版社
BEIJING LANGUAGE AND CULTURE
UNIVERSITY PRESS

图书在版编目(CIP)数据

汉语乐园课本：英语版. 1 / 刘富华等编著. -- 2
版. -- 北京：北京语言大学出版社, 2014.8（2018.5重印）
ISBN 978-7-5619-3898-0

Ⅰ. ①汉… Ⅱ. ①刘… Ⅲ. ①汉语－对外汉语教学－
教材 Ⅳ. ①H195.4

中国版本图书馆CIP数据核字(2014)第189723号

汉语乐园（第2版）（英语版）课本 1
HANYU LEYUAN (DI 2 BAN) (YINGYU BAN) KEBEN 1

责任印制：周　燚

出版发行：北京语言大学出版社
社　　址：北京市海淀区学院路15号　邮政编码：100083
网　　址：www.blcup.com
电　　话：编辑部　8610-8230 3647/3592/3395
国内发行　8610-8230 3650/3591/3648
海外发行　8610-8230 0309/3365/3080
读者服务部　8610-8230 3653
网上订购电话　8610-8230 3908
客户服务信箱　service@blcup.com
印　　刷：北京中科印刷有限公司
经　　销：全国新华书店

版　　次：2014年8月第2版　2018年5月第6次印刷
开　　本：889毫米×1194毫米　1/16　印张：5.5
字　　数：39千字
书　　号：ISBN 978-7-5619-3898-0/H·14163
05800

中

凡有印装质量问题，本社负责调换。电话：8610-82303590
Printed in China

To Our Little Friends

Dear little friends:

Do you know there is a country called China far away in the East? China is not only an ancient country but also a modern one. In China there are fifty-six nationalities living in harmony. And there are also many scenic spots and historical sites, such as the Great Wall and the Terracotta Warriors and Horses as well as modern buildings such as the Bird's Nest and the Water Cube. It is home to panda. Besides, the famous fairy tale of the Handsome Monkey King, Sun Wukong, was created in China! If you want to know more about China, please come and join us to learn Chinese, an ancient and beautiful language!

The Chinese language has its own characteristics. There are four tones in Chinese, giving the language full rhythm and cadence and it is very pleasing to the ear when spoken. The characters used to record the Chinese language are called Chinese characters, which were like vivid pictures and now are square-shaped in written form.

Chinese Paradise is a key from us for you to open the door to the Chinese language, leading you on a pleasant and exciting journey to the world of Chinese. This series of textbooks not only presents to you brief introductions to the Chinese culture, descriptions of Chinese characters and short stories, but also includes popular children's songs, folk songs, handicrafts and games. We believe that you will enjoy your Chinese learning experience and soon be able to greet Chinese kids in Chinese and also write beautiful Chinese characters!

Now let's open *Chinese Paradise* and begin our journey of Chinese learning together!

The compilers

Ānni
安妮
Xiǎolóng
小龙
Fāngfang
方方

Míngming
明明
Jiékè
杰克
Nánxī
南希

目录 CONTENTS

UNIT 5 IN THE CLASSROOM

UNIT 6 FOOD AND DRINKS

UNIT 1

GREETING

Lesson 1

Nǐ hǎo
你好

1. Can you say? 01-1

Nǐ hǎo!
你好!

Nǐ hǎo!
你好!

Zàijiàn!
再见!

Zàijiàn!
再见!

nǐmen
你们
you (*plural*)

lǎoshī
老师
teacher

你	nǐ	you
好	hǎo	good, fine
再见	zàijiàn	to see you around, good-bye

2. Can you try?

Nǐ hǎo, Jiékè!
你好，杰克！
Nǐ hǎo, Nánxī!
你好，南希！
Nǐ hǎo, Xiǎolóng!
你好，小龙！
Lǎoshī hǎo!
老师好！

Zàijiàn, Míngming!
再见，明明！
Zàijiàn!
再见！

3. Do you know?

Xiānggǎng
香港

Shànghǎi
上海

Běijīng
北京

Welcome to China!

Xī'ān
西安

Where is the capital of China?

4. Learn to read.

01-2

A a
ā á ǎ à
a
ai
ao
an
ang

5. Learn to write.

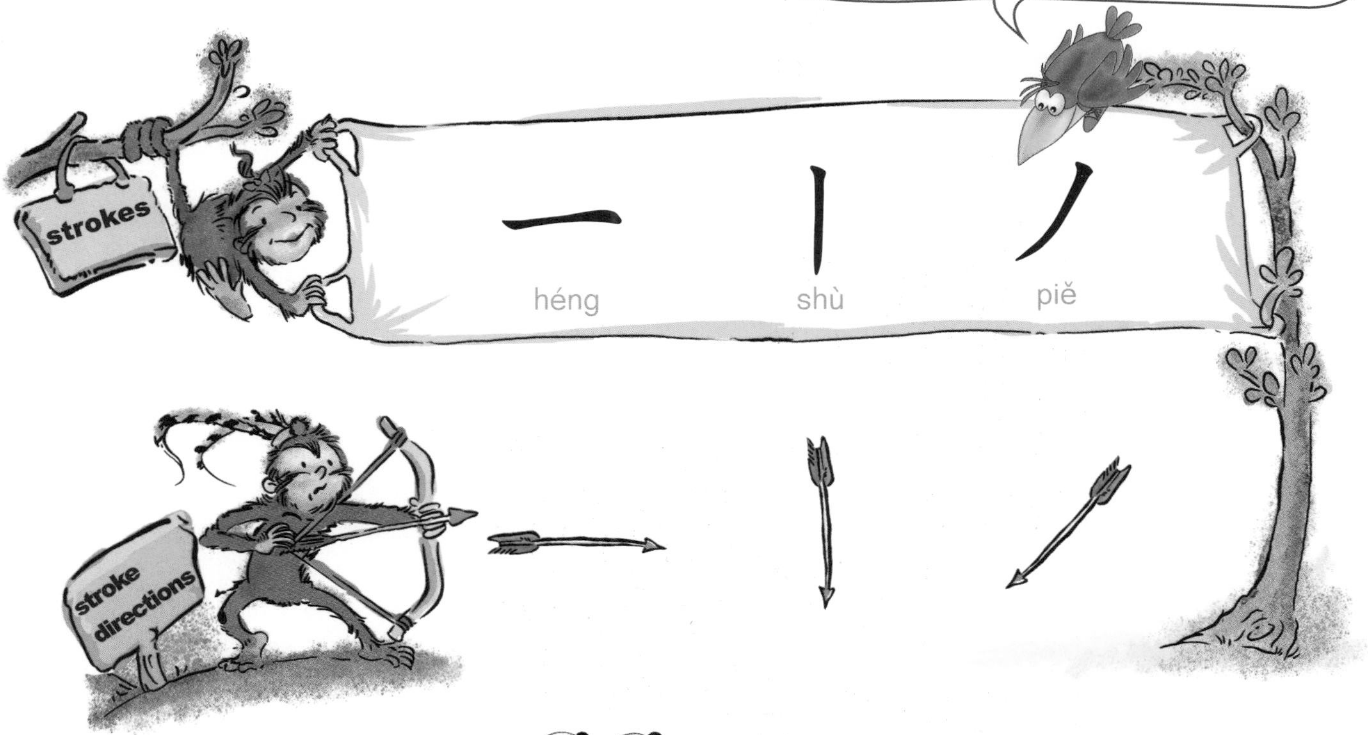

Start from strokes if you want to write beautiful Chinese characters!

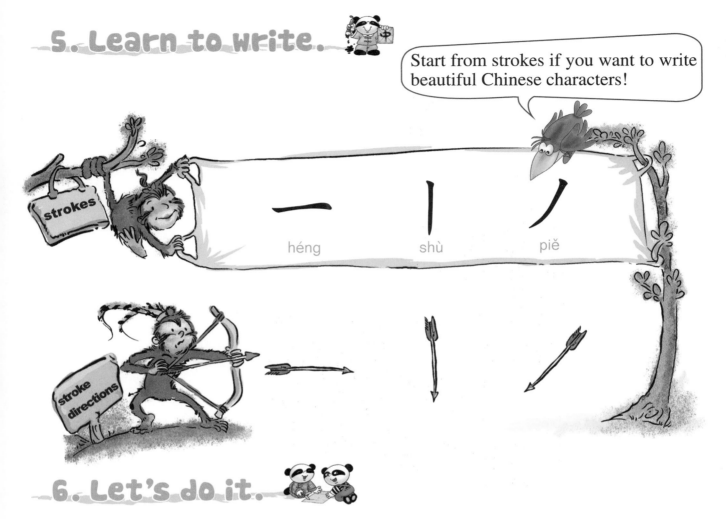

strokes

一	丨	丿
héng	shù	piě

stroke directions

6. Let's do it.

Paper Cutting: Friends

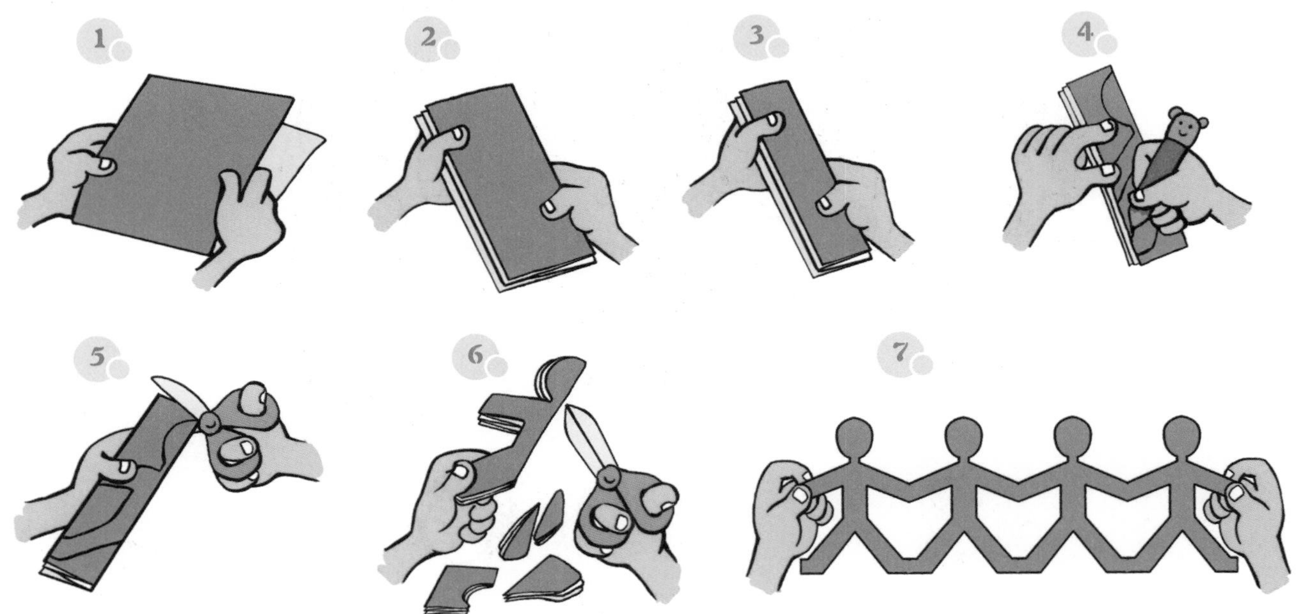
1
2
3
4
5
6
7

Lesson 2

Wǒ jiào Míngming
我叫明明

1. Can you say? 02-1

Huānyíng, huānyíng!
欢迎，欢迎！
Xièxie, xièxie!
谢谢，谢谢！
Nǐ jiào shénme?
你叫什么？
Wǒ jiào Míngming.
我叫明明。

tā 他	Jiékè 杰克	tā 她	Fāngfang 方方
he, him	Jack	she, her	Fangfang

欢迎	huānyíng	to welcome
谢谢	xièxie	thanks
我	wǒ	I, me
叫	jiào	to call, to be called
什么	shénme	what

2. Can you try?

Tā jiào shénme ?
他叫什么?

Tā jiào ……
他叫……

3. Do you know?

My name is Wang Mingming. Wang is my surname, and Mingming is my first name. My parents give me this name because they hope I will have a bright future.
Do you want a Chinese name?
牛
王
明明

4. Learn to read.

02-2

o
ō ó ǒ ò
o
ou
ong

5. Learn to write.

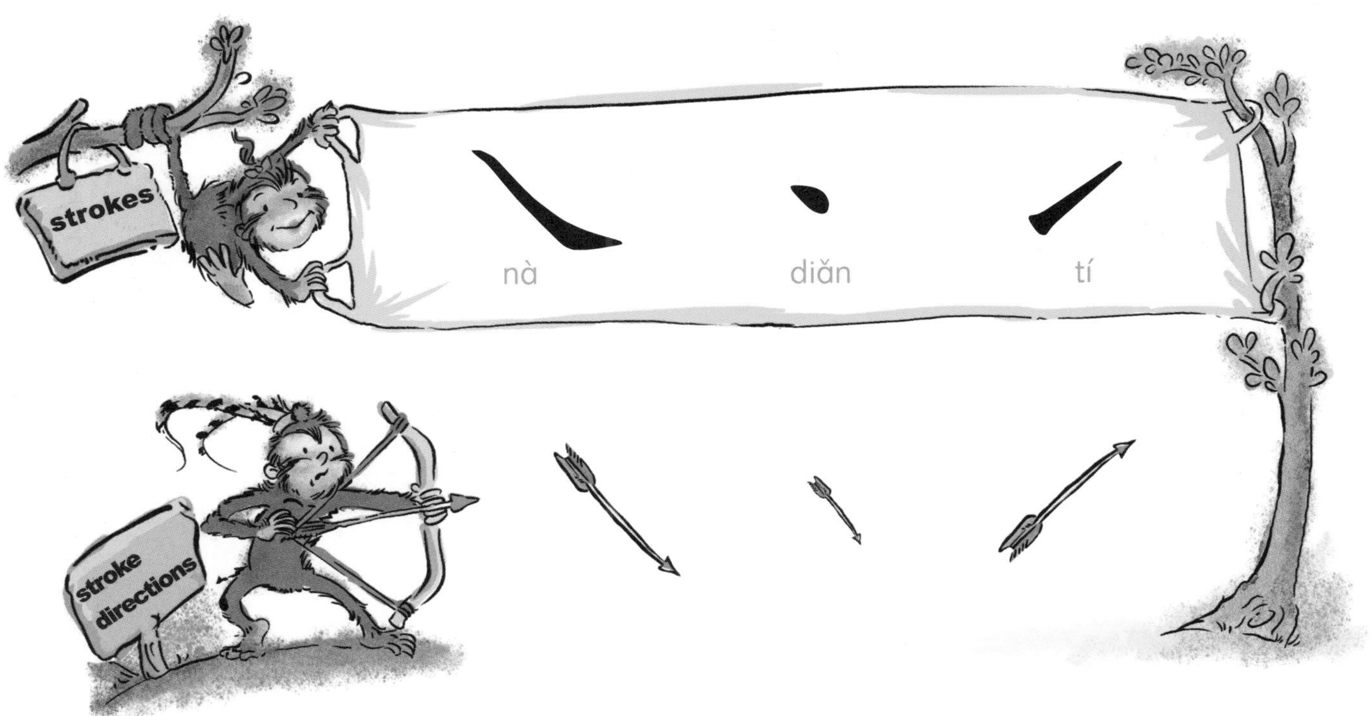
strokes
nà
diǎn
tí
stroke directions

6. Let's do it.

Shuttlecock Kicking

1
2
3
4

7. Let's sing.

02-3

Zhǎo péngyou
找朋友
Allegretto
Zhǎo péng you, zhǎo péng you,
找朋友，找朋友，
xíng ge lǐ, wò wo shǒu.
行个礼，握握手。
Nǐ hǎo wǒ shì Lǐ Míng ming,
你好我是李明明，
zhǎo dào yí ge hǎo péng you.
找到一个好朋友。

8. Story time.

02-4

Nǐ hǎo !
你好！

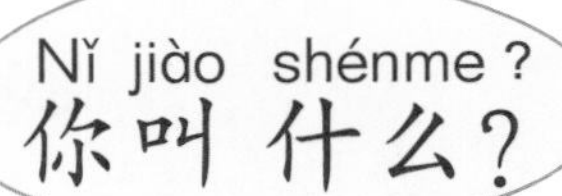
Nǐ jiào shénme ?
你叫什么？

Wǒ jiào Língling .
我叫铃铃。
我
叫
铃
铃

Rènshi nǐ hěn gāoxìng .
认识你很高兴。

Xièxie !
谢谢！

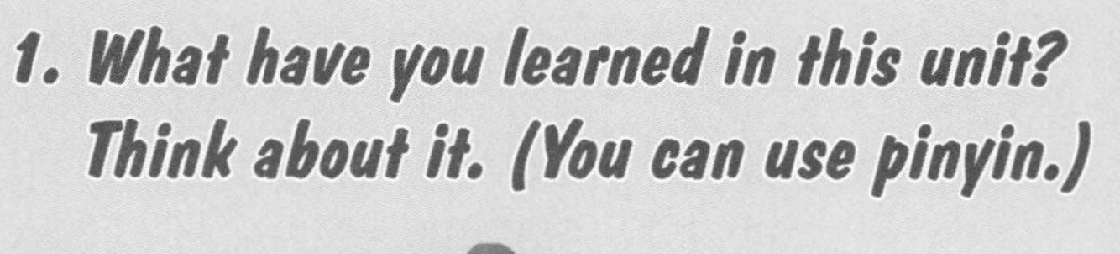

1. What have you learned in this unit? Think about it. (You can use pinyin.)

The Most Useful Sentences:

The Most Important Words:

Else:

2. Draw the things you have learned about China in this unit.

UNIT 2

COUNTING

Lesson 3

Yī èr sān

一、二、三

1. Can you say? 03-1

yī
一
one
èr
二
two
sān
三
three
liù
六
six
wǔ
五
five
sì
四
four
qī
七
seven
shí
十
ten
jiǔ
九
nine
bā
八
eight

2. Can you try?

一
二
三
四
五
六
七
八
九
十

3. Do you know?

Have you been to the Great Wall?

4. Learn to read.

03-2

E
e
ē é ě è
e
ei
en
eng

5. Learn to write.

strokes
㇆
héngzhé
亅
shùgōu
stroke directions

6. Let's do it.

Color the following small animals and count the numbers.

Lesson 4

Wǒ shíyī suì
我十一岁

1. Can you say? 04-1

11
Nǐ duō dà?
你多大?
Wǒ shíyī suì.
我十一岁。

shí'èr 十二 twelve 12

shísān 十三 thirteen 13

shísì 十四 fourteen 14

shíwǔ 十五 fifteen 15

多大	duō dà	how old
岁	suì	age

2. Can you try?

十一
二
五
十一
二
五

三
五
十四
十一

3. Do you know?

How many people are needed to perform this lion dance? Just guess!

4. Learn to read.

04-2

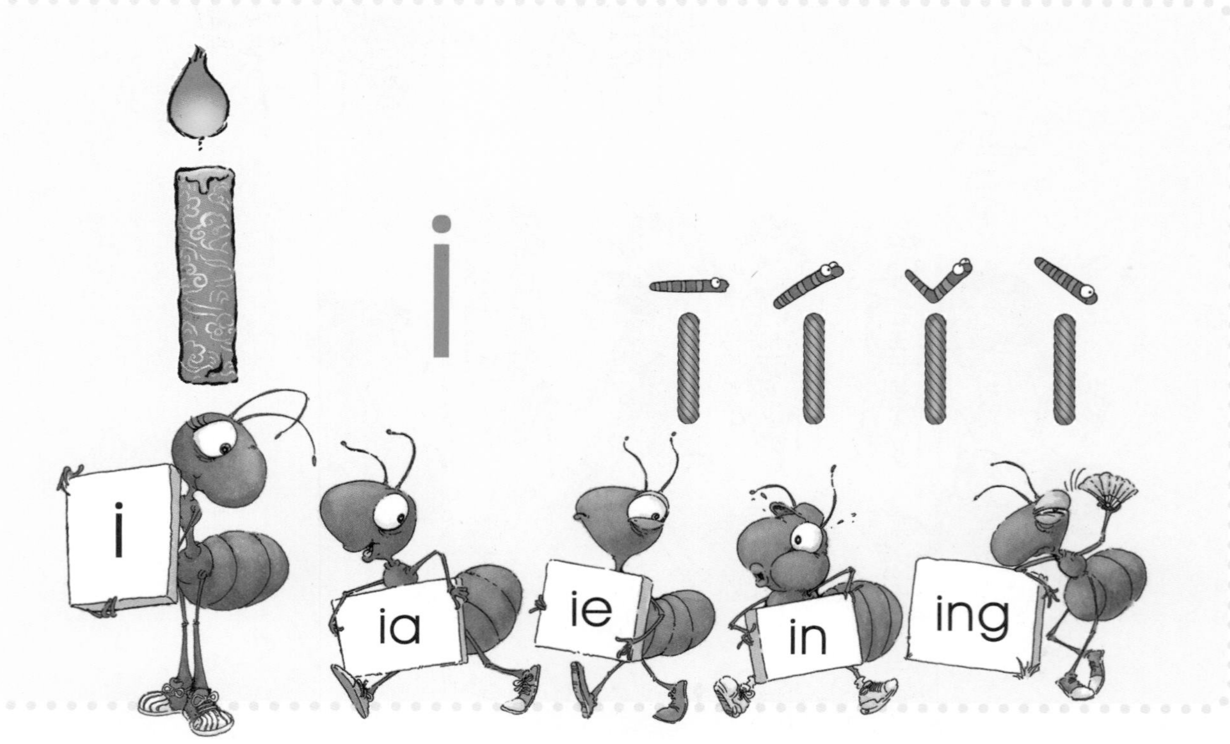
i
ī í ǐ ì
i
ia
ie
in
ing

5. Learn to write. 

èr
二
shí
十

6. Let's do it. 

Counting and Clapping

sì
四
Pā!
èr
二
yī
一

7. Let's sing.

04-3

Wǒ de péngyou zài nǎlǐ

我的朋友在哪里

Moderato
Yī, èr, sān, sì, wǔ, liù, qī,
一、二、三、四、五、六、七，
wǒ de péng you zài nǎ lǐ?
我的朋友在哪里？
Zài Cháng chéng, zài Běi jīng,
在长城，在北京，
wǒ de péng you zài zhè lǐ.
我的朋友在这里。

8. Story time.

04-4

①

Yī, èr, sān, sì, wǔ, liù, qī!
一、二、三、四、五、六、七!

②

③

Yī, èr, sān, sì, wǔ, liù!
一、二、三、四、五、六!

④

⑤

Zài nǎr?
在哪儿?

⑥

Zài zhèr.
在这儿。

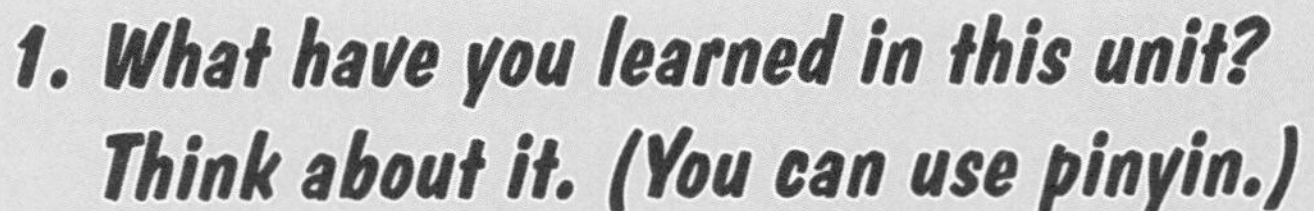

1. What have you learned in this unit?
Think about it. (You can use pinyin.)

The Most Useful Sentences:

The Most Important Words:

Else:

2. Draw the things you have learned about China in this unit.

UNIT 3

MY BODY

Lesson 5

Wǒ de yǎnjing
我的眼睛

1. Can you say? 05-1

Kàn, wǒ de bízi!
看，我的鼻子！

Kàn, wǒ de yǎnjing!
看，我的眼睛！

tóufa
头发
hair
ěrduo
耳朵
ear
zuǐ
嘴
mouth
liǎn
脸
face

看	kàn	to look
我的	wǒ de	my
鼻子	bízi	nose
眼睛	yǎnjing	eye

2. Can you try?

Yǎnjing .
眼睛。

Yǎnjing ? Bízi ?
眼睛？鼻子？

3. Do you know?

Why do Chinese people like the dragon? Think it over.

4. Learn to read.

05-2

U
u
ū ú ǔ ù
u
ua
uo
ui
un

5. Learn to write.

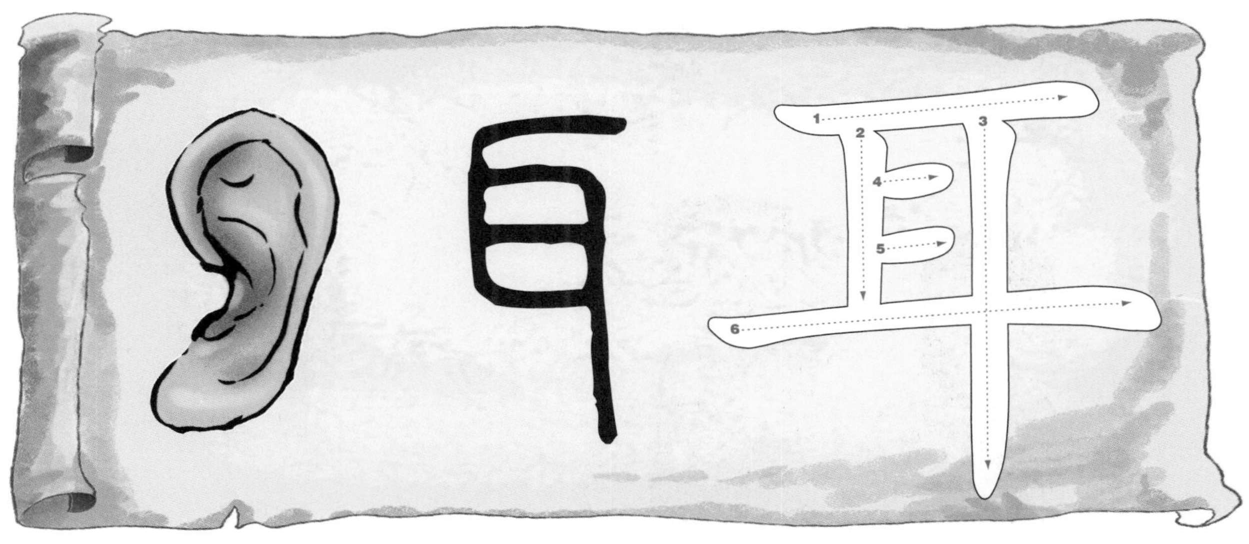
耳
1
2
3
4
5
6

6. Let's do it.

Link the Red Dots into a Picture: A Chinese Dragon

Lesson 6

Tā gèzi gāo
他个子高

1. Can you say? 06-1

Tā tóufa cháng. Wǒ tóufa duǎn.
她头发长。我头发短。

Nǐ shǒu dà. Wǒ shǒu xiǎo.
你手大。我手小。

Tā gèzi gāo. Wǒ gèzi ǎi.
他个子高。我个子矮。

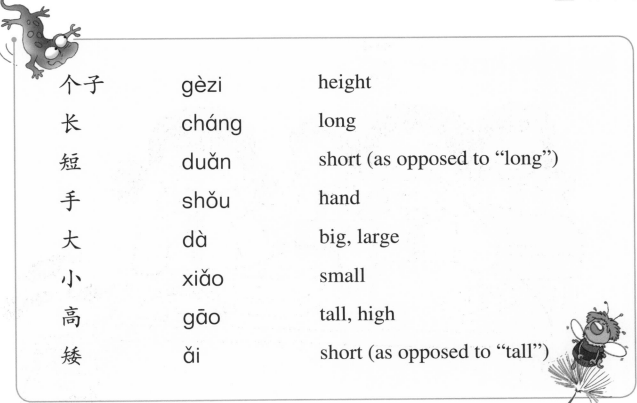

个子	gèzi	height
长	cháng	long
短	duǎn	short (as opposed to "long")
手	shǒu	hand
大	dà	big, large
小	xiǎo	small
高	gāo	tall, high
矮	ǎi	short (as opposed to "tall")

2. Can you try?

Wǒ yǎnjing dà.
我眼睛大。
Tā zuǐ dà.
他嘴大。

3. Do you know?

What are they doing?
Just guess!

4. Learn to read.

06-2

ü
ǖ ǘ ǚ ǜ
ü
üe
üan
ün

5. Learn to write.

手

6. Let's do it.

Eye Exercises

1
2
3
4
5
6

7. Let's sing.

06-3
Wǔguān gē
五官歌
Moderato
Cháng cháng de, shì shén me?
1. 长长的，是什么？
Xiǎo xiǎo de, shì shén me?
2. 小小的，是什么？
Shì tóu fa, shì wǒ de.
是头发，是我的。
Shì zuǐ ba, shì tā de.
是嘴巴，是她的。
Dà dà de, shì shén me?
大大的，是什么？
Duǎn duǎn de, shì shén me?
短短的，是什么？
Shì yǎn jing, shì nǐ de.
是眼睛，是你的。
Shì tóu fa, shì tā de.
是头发，是他的。

8. Story time.

06-4

Tā gèzi gāo.
他个子高。
1

Kàn! Wǒ de bízi.
看！我的鼻子。
2

3

Wǒ yǎnjing dà.
我眼睛大。
4

1. What have you learned in this unit? Think about it. (You can use pinyin.)

The Most Useful Sentences:

The Most Important Words:

Else:

2. Draw the things you have learned about China in this unit.

UNIT 4

MY HOME

Lesson 7

Tā shì shéi
他是谁

1. Can you say?
07-1

Tā shì shéi?
他是谁？

Tā shì shéi?
她是谁？

Tā shì wǒ bàba.
他是我爸爸。

Tā shì wǒ māma.
她是我妈妈。

gēge
哥哥
elder brother

mèimei
妹妹
younger sister

jiějie
姐姐
elder sister

dìdi
弟弟
younger brother

是	shì	to be
谁	shéi	who
爸爸	bàba	father
妈妈	māma	mother

2. Can you try?

Tā shì……
他是……

3. Do you know?

Which photo shows the typical modern Chinese family?

4. Learn to read.

07-2

b p m f

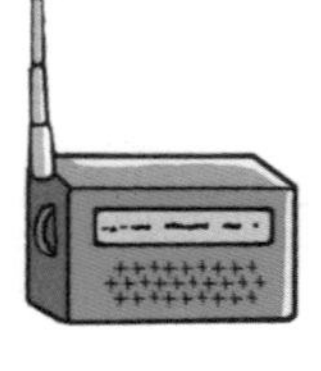 b bā  bà 

 p pán  pēng 

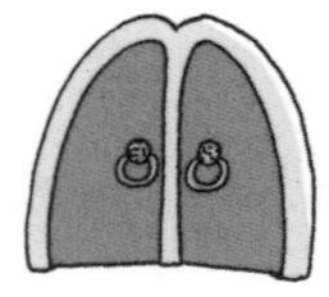 m mǎ  māo 

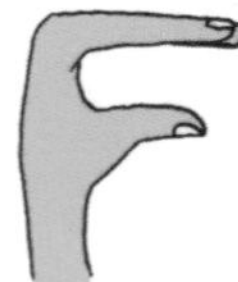 f fàn  fēi 

5. Learn to write.

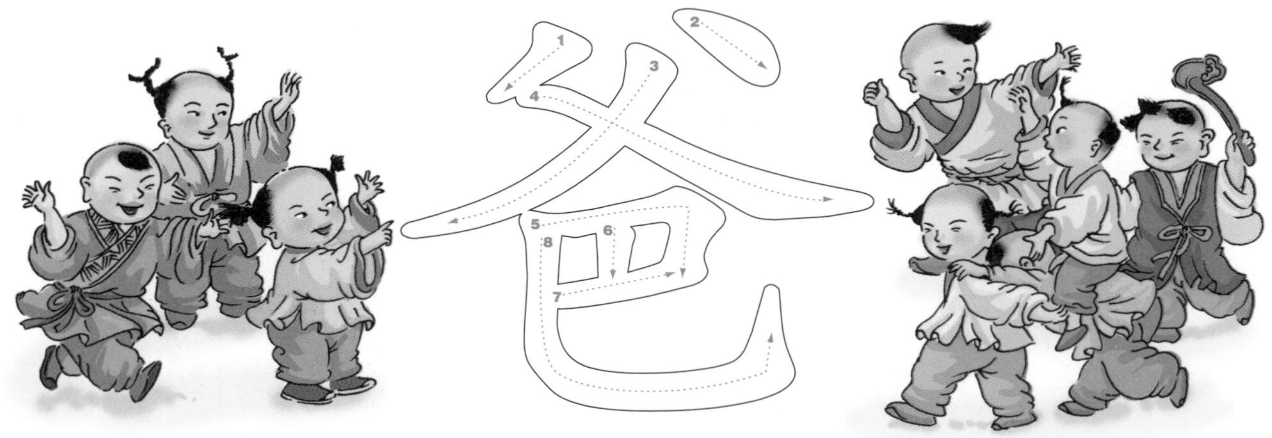
爸

6. Let's do it.

An Eagle Catches the Chicken

Lesson 8

Wǒ de fángjiān
我的房间

1. Can you say? 08-1

dēng
灯
lamp
chuáng
床
bed
diànshì
电视
TV set
shāfā
沙发
sofa
Zhè shì shénme?
这是什么？
Nà shì shénme?
那是什么？
Zhè shì zhuōzi.
这是桌子。
Nà shì yǐzi.
那是椅子。

这	zhè	this
那	nà	that
桌子	zhuōzi	desk
椅子	yǐzi	chair

2. Can you try?

1		3	4	5	6
7	8	9	10	11	
13	14	15	16	17	18

Yǐzi.
椅子。

Do you want to have a look at a *siheyuan* in Beijing?

3. Do you know?

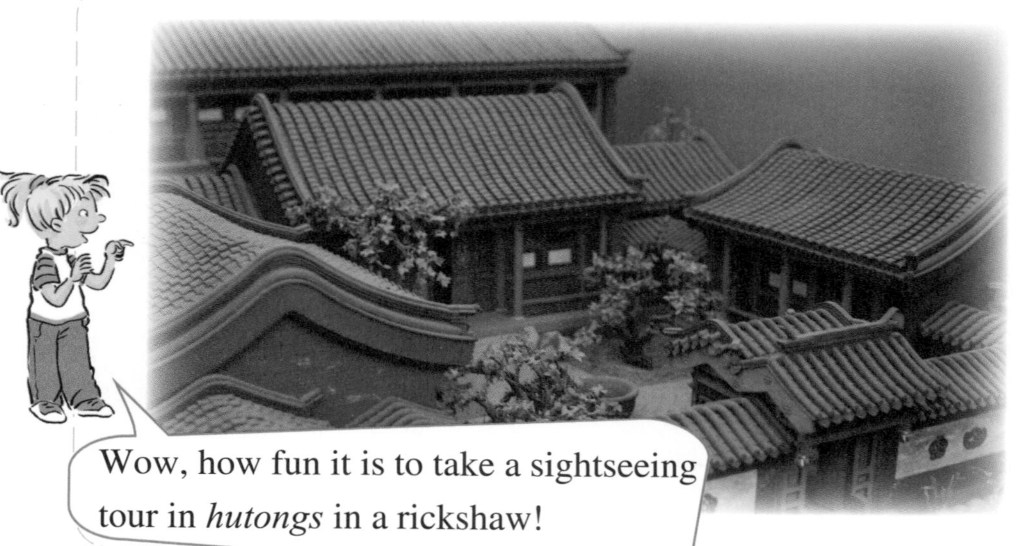
Wow, how fun it is to take a sightseeing tour in *hutongs* in a rickshaw!

4. Learn to read.

08-2

d t n l

d dàn  dēng

t tù  tīng

n ní  nèn

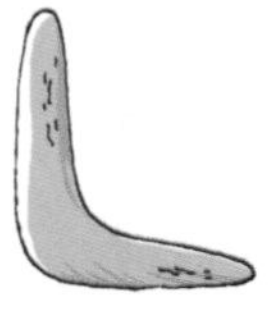

l lǜ  lóu

5. Learn to write.

床

6. Let's do it.

Find, color and match them.

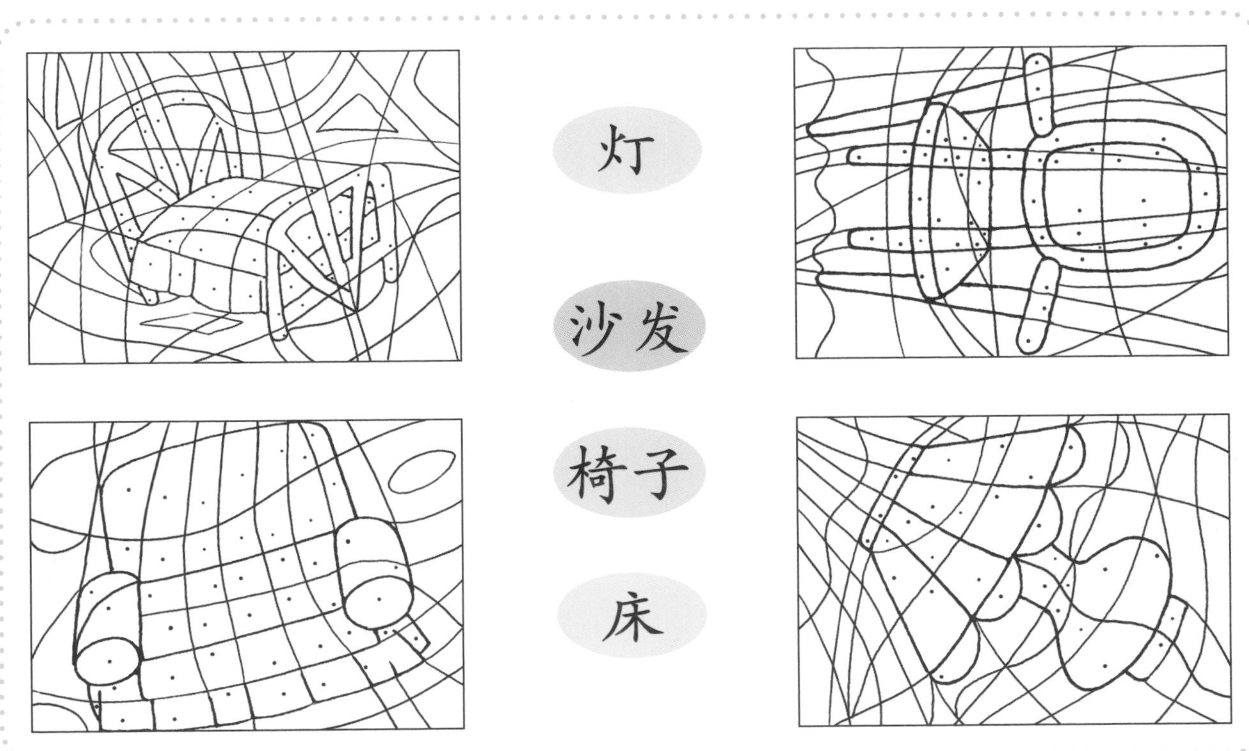
灯
沙发
椅子
床

7. Let's sing.
08-3

Wǒ de jiāli

我的家里

Moderato

Wǒ de jiā li wǒ de jiā li,
1. 我的家里我的家里，
Wǒ de jiā li wǒ de jiā li,
2. 我的家里我的家里，

yǒu yí ge hǎo bà ba.
有一个好爸爸。
yǒu yí ge hǎo mā ma.
有一个好妈妈。

Zhè lǐ yǒu bǎ yǐ zi,
这里有把椅子，
Zhè lǐ yǒu bǎ shū zi,
这里有把梳子，

yǐ zi shì bà ba de.
椅子是爸爸的。
shū zi shì mā ma de.
梳子是妈妈的。

8. Story time.

08-4

1
Zhè shì wǒ .
这是我。

2
Zhè shì wǒ jiějie .
这是我姐姐。

3
Zhè shì yǐzi .
这是椅子。

4
Zhè shì diànshì .
这是电视。

5
Nà shì shénme ?
那是什么？

6
Zhè shì wǒ de māo .
这是我的猫。

1. What have you learned in this unit? Think about it. (You can use pinyin.)

The Most Useful Sentences:

The Most Important Words:

Else:

2. Draw the things you have learned about China in this unit.

UNIT 5

IN THE CLASSROOM

Lesson 9

Qǐng jìn

请进

1. Can you say?

09-1

Qǐng jìn.
请进。
Xièxie!
谢谢!
中国
Duìbuqǐ.
对不起。
Méi guānxi.
没关系。

zuò 坐 to sit down	ānjìng 安静 to be quiet	jǔ shǒu 举手 to put up one's hand	kàn 看 to look, to read

请	qǐng	please
进	jìn	to enter
对不起	duìbuqǐ	I'm sorry.
没关系	méi guānxi	It doesn't matter.

2. Can you try?

3. Do you know?

What is the date of Teachers' Day in your country?

Thank you!
Happy Teachers' Day!
庆祝教师节

4. Learn to read. 09-2

g
gǔ
gǒu
gān
k
kū
kāi
kàn

h
hé
hēi
huā

5. Learn to write.

坐

6. Let's do it.

Making a Color Top

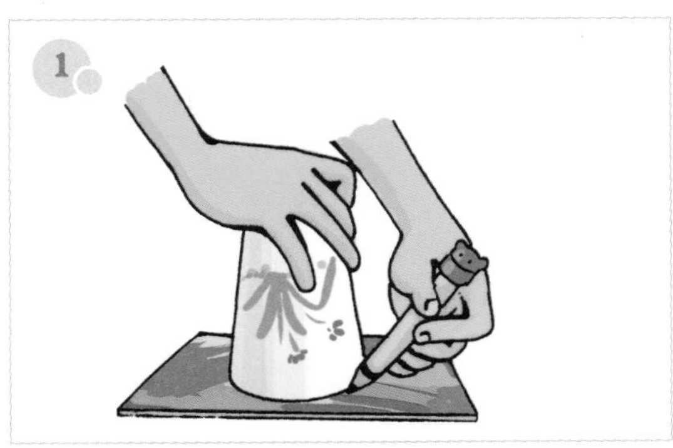
1

2

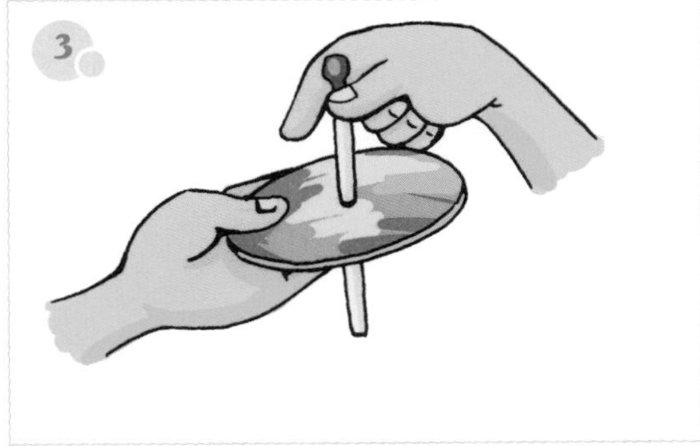
3

4

Lesson 10

Wǒ yǒu shūbāo
我有书包

1. Can you say? 10-1

Wǒ yǒu shūbāo.
我有书包。

Wǒ yǒu bǐ.
我有笔。

běnzi
本子
notebook
shū
书
book
xiàngpí
橡皮
eraser
chǐzi
尺子
ruler

有	yǒu	to have
书包	shūbāo	schoolbag
笔	bǐ	pen

2. Can you try?

shū
书

书

3. Do you know?

How is the classroom of Chinese students different from yours?

4. Learn to read.

10-2

j
jī
jǔ
jiǎn
q
qí
qún
qíng

x
xǐ
xié
xióng

5. Learn to write.

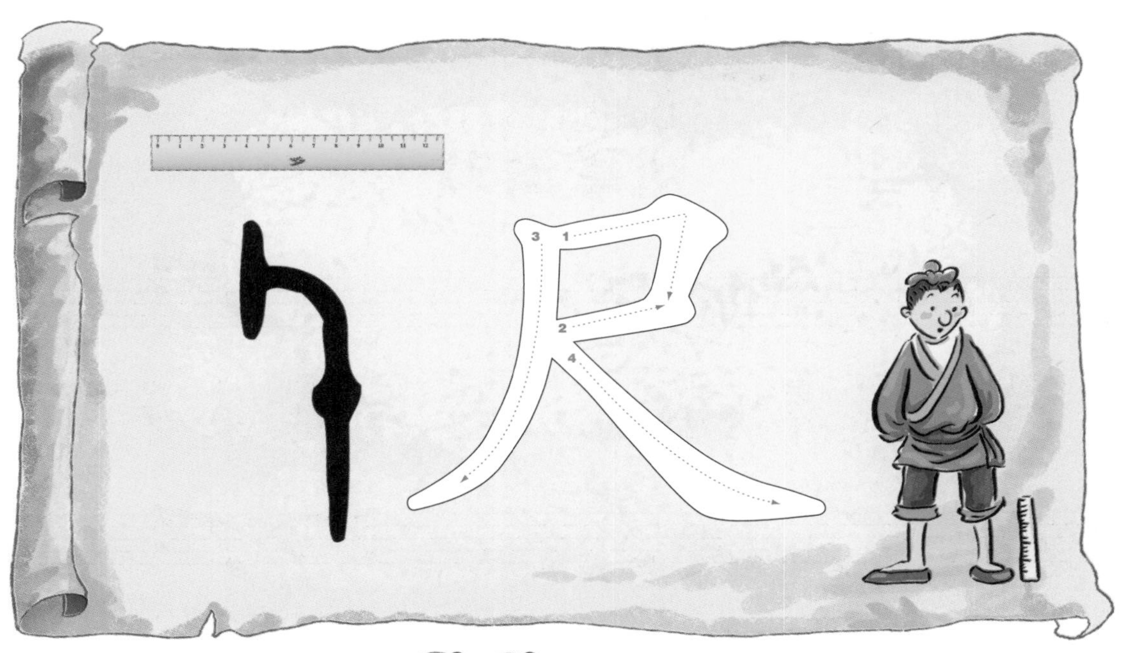
尺

6. Let's do it.

Dropping a Handkerchief

1

2

3

4

7. Let's sing. 10-3

Duìgē yóuxì

对歌游戏

Allegro
Wǒ yǒu yí ge xiǎo shū bāo. Qǐng jìn lai ya qǐng jìn lai.
我有一个小书包。请进来呀请进来。
Wǒ yǒu yì běn shū ya. Qǐng jǔ shǒu ya qǐng jǔ shǒu.
我有一本书呀。请举手呀请举手。
Wǒ yǒu yì bǎ xiǎo chǐ zi. Qǐng zuò xia ya qǐng zuò xia.
我有一把小尺子。请坐下呀请坐下。
Wǒ yǒu yì zhī bǐ ya. Qǐng ān jìng ya qǐng ān jìng.
我有一支笔呀。请安静呀请安静。
2B

8. Story time.

10-4

1
Qǐng jìn.
请进。

2
Gěi nǐ bǐ.
给你笔。

3
Gěi nǐ shū.
给你书。

4

5
Zhè shì shénme?
这是什么？

6
Āiyā!
哎呀！

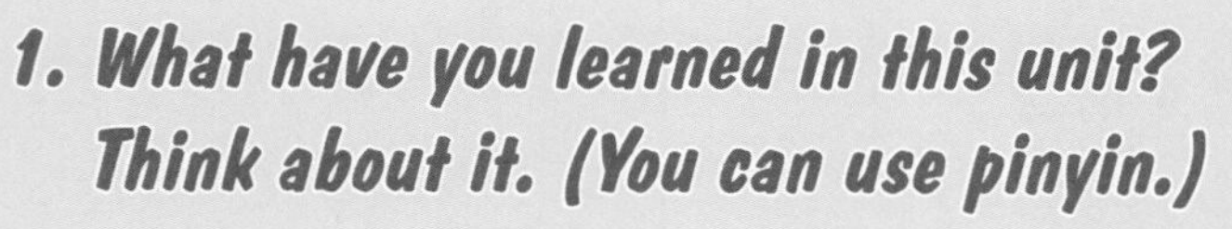

1. What have you learned in this unit? Think about it. (You can use pinyin.)

The Most Useful Sentences:

The Most Important Words:

Else:

2. Draw the things you have learned about China in this unit.

UNIT 6

FOOD AND DRINKS

Lesson 11

Nǐmen hē shénme
你们喝什么

1. Can you say? 11-1

Nǐmen hē shénme?
你们喝什么？

Wǒ hē niúnǎi.
我喝牛奶。

Wǒmen hē guǒzhī.
我们喝果汁。

shuǐ
水
water
chá
茶
tea
kělè
可乐
coke
kāfēi
咖啡
coffee

喝	hē	to drink
牛奶	niúnǎi	milk
我们	wǒmen	we, us
果汁	guǒzhī	juice

2. Can you try?

Niúnǎi.
牛奶。

茶 牛奶 咖啡 果汁 水

Little friends, do people in your country drink tea? What beverage do they often drink?

3. Do you know?

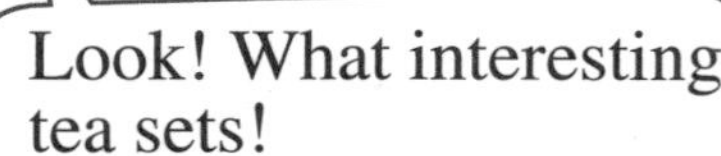

Look! What interesting tea sets!

4. Learn to read.

11-2

zh

zhū

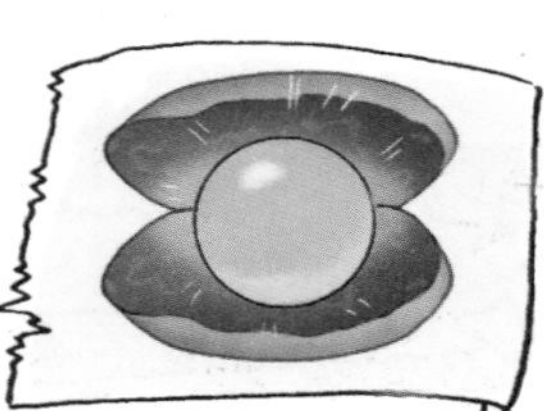

zhuō

ch

chē

chá

sh

shù

shuǐ

r

rì

rè

5. Learn to write.

水

6. Let's do it.

Making a Poster

胶水

Lesson 12

Jiǎozi hěn hǎochī

饺子很好吃

1. Can you say?

12-1

Nǐ chī shénme?
你吃什么？

Wǒ chī jiǎozi.
我吃饺子。

Jiǎozi hǎochī ma?
饺子好吃吗？

Jiǎozi hěn hǎochī.
饺子很好吃。

mǐfàn
米饭
cooked rice

bāozi
包子
steamed stuffed bun

miàntiáo
面条
noodle

chūnjuǎn
春卷
spring roll

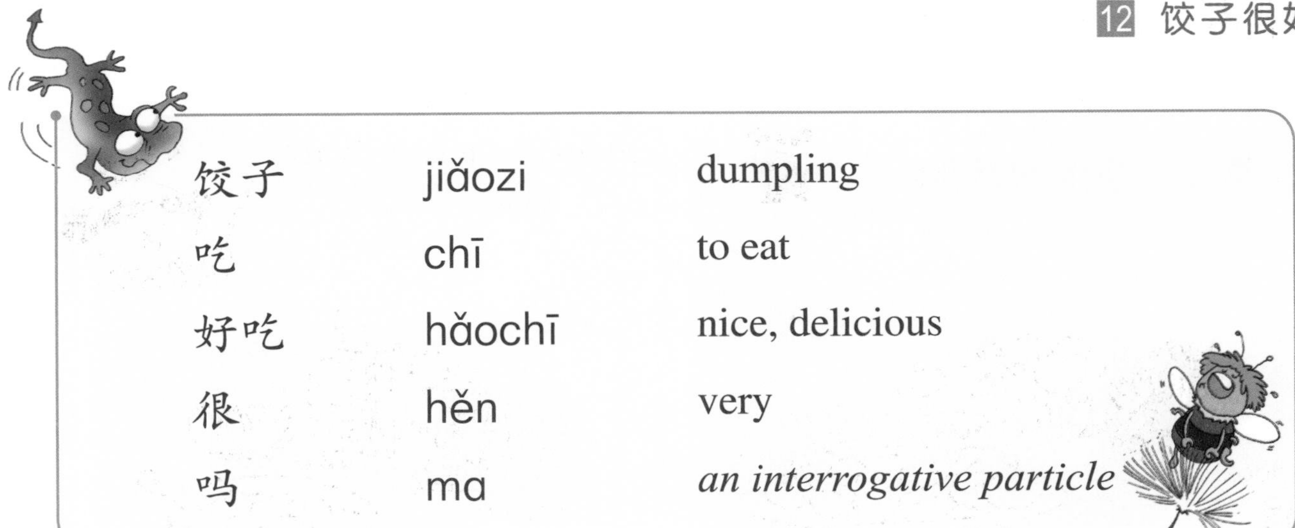

饺子	jiǎozi	dumpling
吃	chī	to eat
好吃	hǎochī	nice, delicious
很	hěn	very
吗	ma	*an interrogative particle*

2. Can you try?

Bāozi hěn hǎochī .
包子很好吃。

Bāozi hǎochī ma ?
包子好吃吗?

包子

3. Do you know?

Have you tasted these traditional Chinese foods?

jiǎozi
饺子
dumpling
yuánxiāo
元宵
glutinous rice ball
zòngzi
粽子
pyramid-shaped rice dumpling
yuèbing
月饼
moon cake

4. Learn to read.

12-2

z
c
s

zǒu

zuǐ

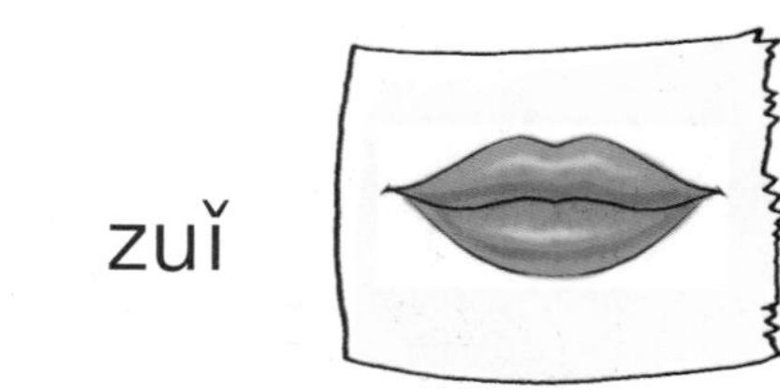

cā

cǎo

sì

sǎn

5. Learn to write.

米
1
2
3
4
5
6

6. Let's do it.

Making Dumplings

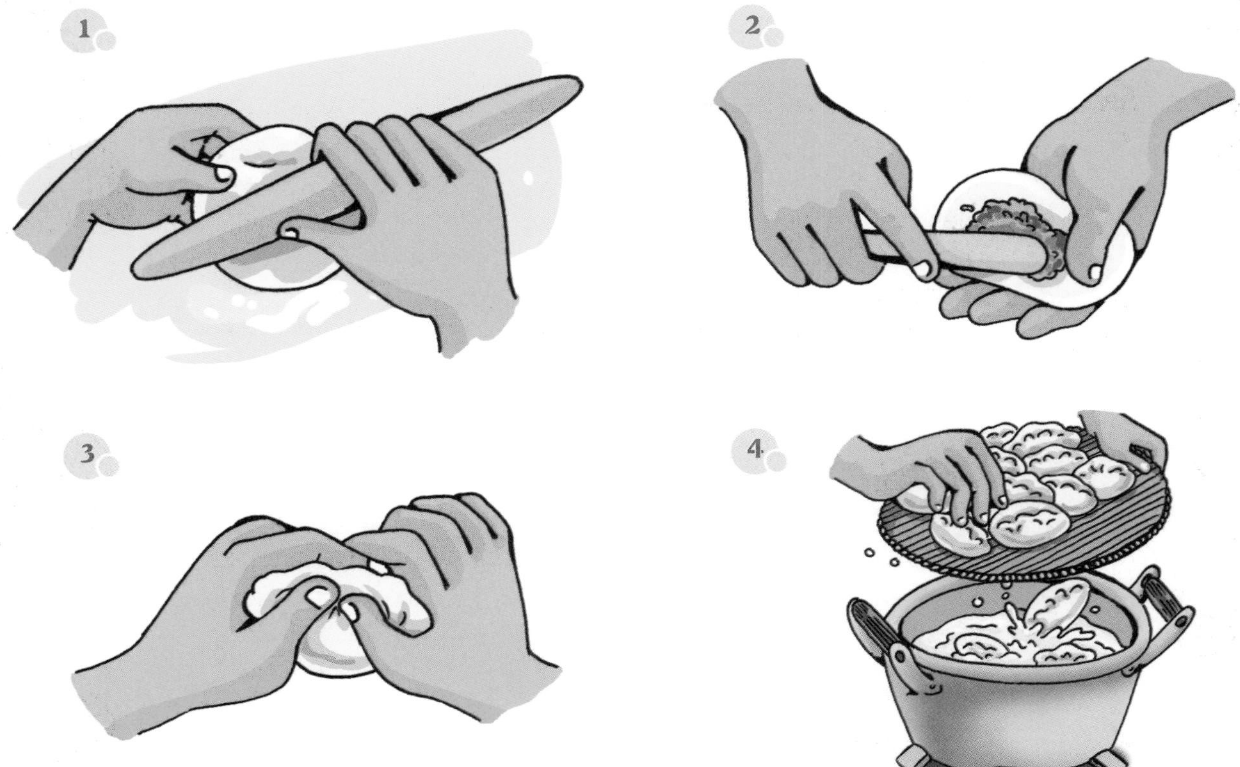
1
2
3
4

7. Let's sing.
12-3

Dàjiā yìqǐ lái
大家一起来

Allegretto

Dà jiā yì qǐ lái ya
1. 大 家 一 起 来 呀
Dà jiā yì qǐ lái ya
2. 大 家 一 起 来 呀

lái, ná qǐ bēi zi lái ya lái,
来， 拿 起 杯 子 来 呀 来，
lái, ná qǐ pán zi lái ya lái,
来， 拿 起 盘 子 来 呀 来，

lái ya lái. Nǐ yào nǐ yào
来 呀 来。 你 要 你 要
lái ya lái. Nǐ yào nǐ yào
来 呀 来。 你 要 你 要

hē shén me? Wǒ hē guǒ zhī lái ya lái.
喝 什 么？ 我 喝 果 汁 来 呀 来。
chī shén me? Wǒ chī jiǎo zi lái ya lái.
吃 什 么？ 我 吃 饺 子 来 呀 来。

Guǒ zhī guǒ zhī hǎo hē ma? Wǒ hē niú nǎi
果 汁 果 汁 好 喝 吗？ 我 喝 牛 奶
Jiǎo zi jiǎo zi hǎo chī ma? Wǒ chī miàn bāo
饺 子 饺 子 好 吃 吗？ 我 吃 面 包

lái ya lái. Dà jiā yì qǐ lái ya lái,
来 呀 来。 大 家 一 起 来 呀 来，
lái ya lái. Dà jiā yì qǐ lái ya lái,
来 呀 来。 大 家 一 起 来 呀 来，

ná qǐ bēi zi lái ya lái.
拿 起 杯 子 来 呀 来。
ná qǐ pán zi lái ya lái.
拿 起 盘 子 来 呀 来。

8. Story time.

12-4

1
可乐

2
Nǐ hē shénme ?
你喝什么？
可乐
Kělè .
可乐。

3
Nǐ chī shénme ?
你吃什么？
Chūnjuǎn .
春卷。

4
可乐

5
Nǐ chī shénme ?
你吃什么？

6
Nǐ !
你！

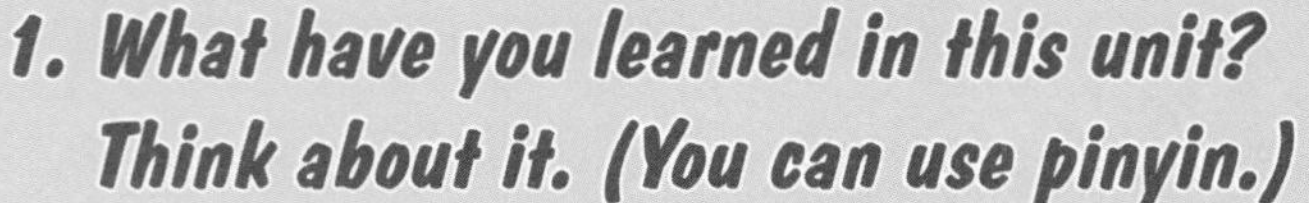

1. What have you learned in this unit? Think about it. (You can use pinyin.)

The Most Useful Sentences:

The Most Important Words:

Else:

2. Draw the things you have learned about China in this unit.

NEW WORDS

矮	ǎi	6
安静	ānjìng	9
八	bā	3
爸爸	bàba	7
包子	bāozi	12
本子	běnzi	10
鼻子	bízi	5
笔	bǐ	10
茶	chá	11
长	cháng	6
吃	chī	12
尺子	chǐzi	10
床	chuáng	8
春卷	chūnjuǎn	12
大	dà	6
灯	dēng	8
弟弟	dìdi	7
电视	diànshì	8
短	duǎn	6
对不起	duìbuqǐ	9
多大	duō dà	4
耳朵	ěrduo	5
二	èr	3
高	gāo	6
哥哥	gēge	7
个子	gèzi	6
果汁	guǒzhī	11
好	hǎo	1
好吃	hǎochī	12
喝	hē	11
很	hěn	12
欢迎	huānyíng	2
饺子	jiǎozi	12
叫	jiào	2
姐姐	jiějie	7
进	jìn	9
九	jiǔ	3
举手	jǔ shǒu	9
咖啡	kāfēi	11
看	kàn	5, 9
可乐	kělè	11
老师	lǎoshī	1
脸	liǎn	5
六	liù	3
妈妈	māma	7
吗	ma	12
没关系	méi guānxi	9
妹妹	mèimei	7

米饭	mǐfàn	12
面条	miàntiáo	12
那	nà	8
你	nǐ	1
你们	nǐmen	1
牛奶	niúnǎi	11
七	qī	3
请	qǐng	9
三	sān	3
沙发	shāfā	8
什么	shénme	2
谁	shéi	7
十	shí	3
十二	shí'èr	4
十三	shísān	4
十四	shísì	4
十五	shíwǔ	4
十一	shíyī	4
是	shì	7
手	shǒu	6
书	shū	10
书包	shūbāo	10
水	shuǐ	11
四	sì	3
岁	suì	4
他	tā	2
她	tā	2
头发	tóufa	5
我	wǒ	2
我的	wǒ de	5
我们	wǒmen	11
五	wǔ	3
橡皮	xiàngpí	10
小	xiǎo	6
谢谢	xièxie	2
眼睛	yǎnjing	5
一	yī	3
椅子	yǐzi	8
有	yǒu	10
再见	zàijiàn	1
这	zhè	8
桌子	zhuōzi	8
嘴	zuǐ	5
坐	zuò	9

Lesson 2

Finding a Friend

Finding a friend, finding a friend.
Saluting and shaking hands.
Hello, I'm Li Mingming.
I've found a good friend.

Lesson 4

Where Are My Friends

One, two, three, four, five, six, seven.
Where are my friends?
On the Great Wall, in Beijing.
My friends are here.

Lesson 6

Songs of the Five Sense Organs

What's this?
It's my long hair.
What are these?
They're your big eyes.
What's this?
It's her little mouth.
What's this?
It's his short hair.

Lesson 8

My Home

My good father, is at my home.
Here is a chair, And it's my father's.
My good mother, is at my home.
Here is a comb, and it's my mother's.

Lesson 10

An Antiphonal Game

I have a small schoolbag.
Please come in.
I have a book.
Please put up your hand.
I have a small ruler.
Please sit down.
I have a pencil.
Please be quiet.

Lesson 12

Come Here, Everybody

Come here, everybody.
Come here with your glasses.
What do you want to drink?
I'd like some juice.
Is it tasty?
I'd like some milk.
Come here, everybody.
Come here with your glasses.
Come here, everybody.
Come here with your plates.
What do you want to eat?
I'd like some dumplings.
Is it tasty?
I'd like some bread.
Come here, everybody.
Come here with your plates.

Nǐ hǎo . Nǐ hǎo .
你好。你好。

Lǎoshī hǎo . Nǐmen hǎo .
老师好。你们好。

Wǒ bā suì .
我八岁。

Wǒ shí'èr suì .
我十二岁。

Wǒ jiào Jiékè .
我叫杰克。

Wǒ jiào Nánxī .
我叫南希。

Wǒ de zuǐ .
我的嘴。

Wǒ de ěrduo .
我的耳朵。

Wǒ de yǎnjing .
我的眼睛。

Tā shǒu dà .
他手大。

Tā gèzi gāo .
他个子高。

Tā tóufa cháng .
她头发长。

REVIEW (Lessons 7-12)

Tā shì māma .
她是妈妈。

Tā shì bàba .
他是爸爸。

Qǐng jìn .
请进。

Qǐng zuò .
请 坐。

Zhè shì yǐzi .
这是椅子。

Zhè shì diànshì .
这是 电视。

Wǒ yǒu bǐ .
我有 笔。

Wǒ yǒu shūbāo.
我有 书 包。

Wǒ hē guǒzhī .
我喝果汁。

Wǒmen hē chá .
我们 喝 茶。

Tā chī miàntiáo .
他吃 面条。

Jiǎozi hěn hǎochī .
饺子很好吃。

八

10

十二

bàba

māma